La coccinelle

Illustré par Sylvaine Pérols
Réalisé par Gallimard Jeunesse
et Pascale de Bourgoing

D1545464

GALLIMARD/MES PREMIÈRES DÉCOUVERTES

Voici une coccinelle,
c'est un insecte car elle a six pattes.

Très souvent,
les coccinelles sont rouges
avec des points noirs.

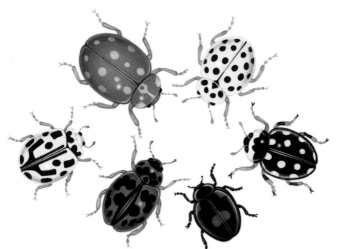

Mais il existe beaucoup
d'autres coccinelles aux couleurs
différentes.

La plus connue a sept points.

La
coccinelle
a deux ailes
rouges
et solides.

Elle utilise
ses deux
autres ailes,
transparentes,
pour voler.

Quand
elle se pose,
ses ailes
transparentes
se cachent
sous ses ailes
rouges.

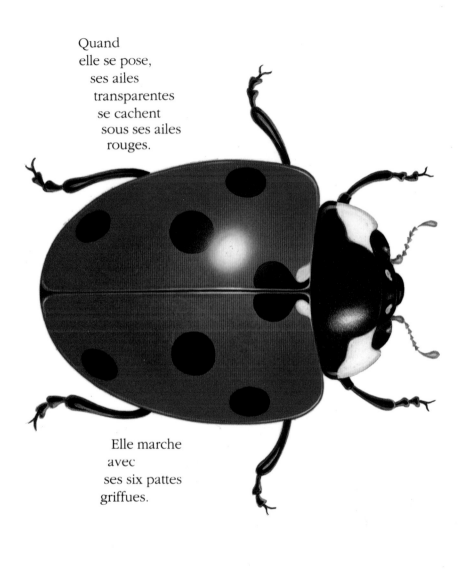

Elle marche
avec
ses six pattes
griffues.

Avec ses deux pinces, ou mandibules, près de la bouche, la coccinelle attrape les pucerons.

Elle peut en dévorer cinquante
en une seule journée!

Grâce à ses deux antennes, elle repère le sol,
cherche sa nourriture et les autres insectes.

Au printemps,
le mâle et la femelle
s'accouplent
pour avoir
des petites coccinelles.

La coccinelle
pond ses œufs
sur une feuille
envahie
de pucerons.

Après sept jours,
les larves sortent
et dévorent aussitôt
les pucerons.

Les larves grossissent très vite
puis se suspendent à une feuille.
Il leur faut huit jours pour
se transformer… en coccinelle.

Une coccinelle jaune
se libère de son enveloppe.
En quelques heures,
elle devient rouge
avec des points noirs.

Quand un oiseau l'attaque,
la coccinelle
se retourne sur le dos
et s'immobilise.
Pour faire fuir l'ennemi,
elle fait sortir
de ses pattes
un liquide
qui sent très mauvais.

L'hiver,
les coccinelles
se cachent
sous une écorce d'arbre.
Elles dorment
tranquillement
les unes
contre les autres.

Il existe beaucoup d'autres insectes.

Le scarabée sacré
se nourrit de bouses
de vache.

Le capricorne

Le bombardier

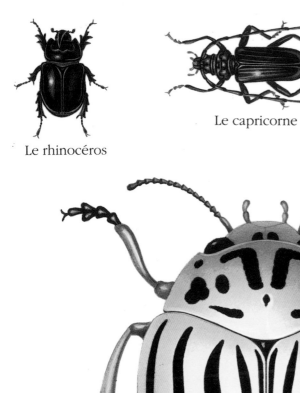

Le rhinocéros

Le doryphore adore les pommes de terre.

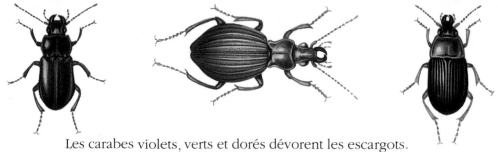

Les carabes violets, verts et dorés dévorent les escargots.

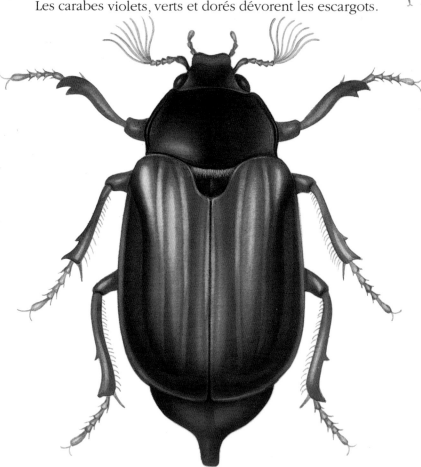

Le hanneton abîme les arbres.

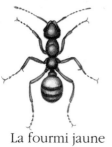

La fourmi jaune

La fourmi noire

La fourmi brune

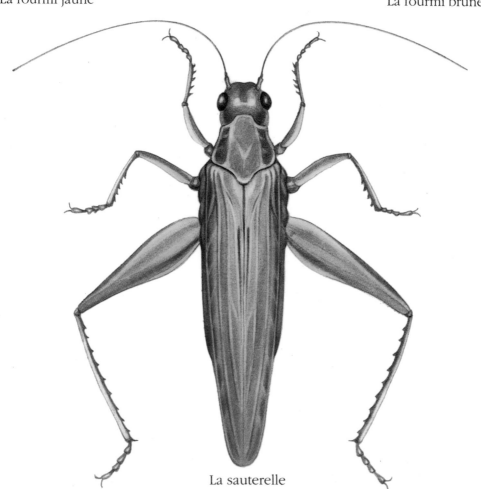

La sauterelle

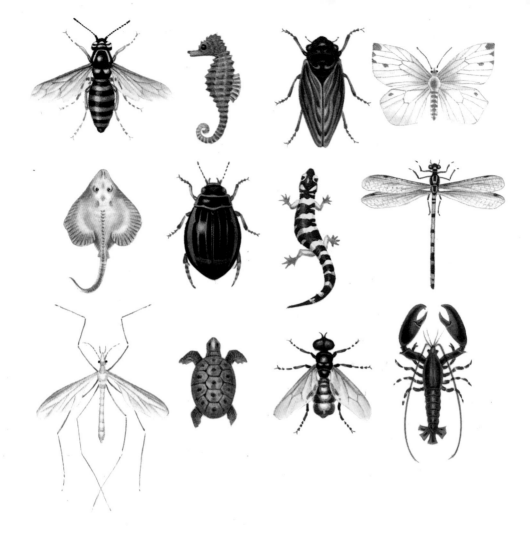

Cinq de ces animaux ne sont pas des insectes.
Sauras-tu les retrouver?

Et ceux-ci,
sont-ils des insectes?

ISBN: 2-07-035704-X
© Éditions Gallimard, 1989
1er dépôt légal: Novembre 1989
Dépôt légal: Juillet 1992
Numéro d'édition: 56222
Imprimé en Italie
par Editoriale Libraria